L'Atelier

Dans la même collection :

Un conte publié en collaboration avec *Histoires pour les petits*

Pour la présente édition :

Loi 49.956 du 16 juillet 1949 sur les publications destinées à la jeunesse.
ISBN : 978-2-7459-5796-2
Dépôt légal : 2e trimestre 2015.
Imprimé en Chine par C&C.

La princesse au petit pois

Un conte de Hans Christian Andersen adapté par Agnès Cathala,
illustré par Ilaria Falorsi.

Il était une fois un prince charmant qui cherchait une vraie princesse à aimer. Mais, pour épouser ce prince-là, être fille de roi ne suffisait pas. Une vraie princesse devait avoir d'autres qualités. Elle devait être intelligente, amusante, gentille, charmante...
Et sa peau devait être douce et fine, comme l'aile du papillon.

Pour trouver sa princesse, le prince prit son cheval par les rênes et il partit au galop faire le tour de la Terre.

Hélas, aucune princesse ne fit le bonheur de son cœur. L'une était bête au point de croire que sa servante éteignait le soleil chaque soir.

Telle autre était si ennuyeuse que le prince, en l'écoutant, bâilla à s'en décrocher la mâchoire.

Passons sur celle qui n'avait rien d'extraordinaire,
sauf pour qui aime l'odeur du chou vert.

Partout le prince croisait des princesses. Mais jamais elles n'étaient vraies. Au bout d'une année, il finit par retourner dans son château, seul et le cœur gros. Et là il se mit à rêver qu'un jour sa princesse viendrait.
Un soir d'automne, une tempête énorme éclata dans le royaume. Dans le bruit du tonnerre, le prince n'entendit pas frapper à la porte. C'est son père, le roi, qui alla ouvrir. Qui osait les déranger à une heure pareille ? Qui pouvait bien se promener sous les éclairs ? Mystère...

Une jeune fille se tenait dehors, sous la pluie.
Elle disait être une princesse. Pourtant, elle n'avait pas
fière allure. De l'eau coulait de ses cheveux jusqu'à la pointe
de ses chaussures ! Et ses vêtements étaient tout chiffonnés !

– Hum, nous allons vérifier si cette demoiselle est une vraie princesse, décida la reine.

En catimini, elle alla dans la chambre de l'invitée et retira le matelas du lit. Puis elle déposa un petit pois sur le sommier, empila vingt matelas sur le petit pois et, par-dessus, ajouta vingt édredons en plume d'oie.
Son travail fini, elle fit entrer la princesse et lui souhaita une bonne nuit.

Le lendemain matin, la princesse descendit prendre son petit-déjeuner. Le prince fut étonné de la trouver fatiguée.
– Avez-vous bien dormi ? demanda la reine à la princesse.
– Affreusement mal, répondit celle-ci. Je n'ai pas fermé l'œil de la nuit. J'étais couchée sur quelque chose de si dur que j'en ai des bleus sur tout le corps ! C'est terrible !

Qui, sinon une vraie princesse, pouvait sentir, à travers vingt matelas et vingt édredons en plume d'oie, un minuscule petit pois ? Sa peau était aussi fragile que l'aile du papillon, il n'y avait pas de doute à ce sujet. À partir de ce jour, le prince découvrit que la princesse avait les qualités dont il rêvait. Il la demanda en mariage, ce qu'elle accepta.

Quant au petit pois de cette histoire, il fut exposé dans un musée, où chacun peut encore le voir… si personne ne l'a emporté pour le manger !